Au chef Steve Poses,
pour son art de la table et de l'amitié.

© 2016, *l'école des loisirs*, Paris

Loi 49956 du 16 juillet 1949,
sur les publications destinées à la jeunesse.
Dépôt légal : mars 2016
ISBN 978-2-211-22566-3

Mise en pages : *Architexte*, Bruxelles
Photogravure : *Media Process*, Bruxelles
Imprimé en Italie par *Grafiche AZ*, Vérone

Pascal Lemaitre

Milady Coccinelle

Pastel
l'école des loisirs

Pchiii, pchiii, crunch, crunch.
Marius, le peintre, sifflote en rentrant du boulot.

Soudain, **bananaboum**,
   il s'arrête net.

- Oh, Dame Coccinelle, je suis profondément désolé.
Veuillez accepter mes plus plates excuses. J'ai failli
vous écrabouiller.
- Oh, saperlipopette, merci de ne pas m'avoir réduite
en bouillie. Je passais justement une belle journée.
- Pourrais-je vous inviter à prendre une tasse de thé ?
- Avec grand plaisir !

- Voici un délicieux thé envoyé par mon cousin des Indes.
Il va vous réchauffer le cœur.
- Juste une petite goutte, merci.
- Oh, mais je ne me suis pas présenté. Je suis Marius,
le peintre. Puis-je me permettre de vous demander
ce qui occupe vos journées ?

- Je suis une diva d'opéra !

AAAaaaaaAAAhhhhh !
OOOoooOOOhhh !

- Quelle voix !

- Merci pour ce délicieux goûter, Monsieur Marius.
Je dois décoller pour mes répétitions, maintenant.

La nuit venue,
Marius imagine
de nouvelles peintures.

Dès son lever, il écrit
à Madame Coccinelle.

Coccinelle n'a jamais reçu une aussi grande lettre.
Elle ne peut même pas la lire dans sa maison.

L'après-midi passe vite.

- Merci beaucoup, Marius.
C'est magique de voyager tout en restant à la même place.
- Merci à vous, Coccinelle. Votre voix fait chanceler
mon cœur et me fait peindre avec beaucoup de bonheur.
Puis-je vous inviter à nouveau… demain ?
- Avec plaisir, Monsieur Marius. Je serai là, à 10 heures pile !

Le jour suivant, à 10 h 30, Coccinelle n'est pas là.
11 h 30, personne. Marius est déçu. L'a-t-elle oublié ?

À midi, Marius est très très inquiet.
C'est insupportable. Il décide d'aller chez elle.

Il frappe à la porte de Coccinelle,
mais personne ne répond.

Il regarde par la fenêtre :
la maison est vide.

Coccinelle, où êtes-vous ?
C'est Marius !
Coccinelle !

Marius barrit très fort, à plusieurs reprises.

Coccinelle !

crie-t-il encore et encore.

Soudain,
il entend quelque chose.
C'est une chanson.
La voix de sa diva.

Coccinelle, où êtes-vous ?
J'arrive !

- Oh, merci, Marius !
Vous m'avez à nouveau sauvé la vie.

- Milady Coccinelle,
cette araignée aurait dû savoir
que vous aviez une belle journée à passer.

Allons nous balader.
Nous avons eu trop d'émotions.

Le jour suivant, Coccinelle rend hommage
à Marius en peignant son portrait !

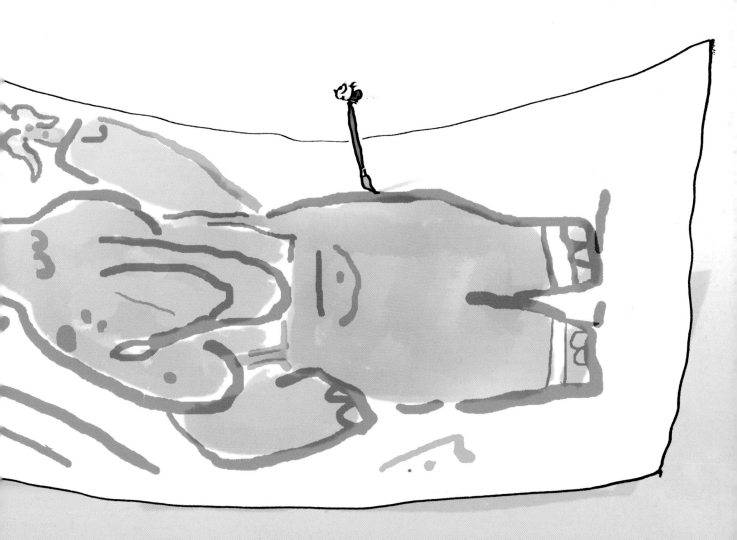

- Maintenant, je dois vous dire quelque chose, Marius.
Je me sens fatiguée, je sens que l'hiver arrive et je vais hiberner.
C'est dans ma nature de dormir à la saison froide.
J'aurais adoré continuer à passer des moments avec vous,
mais j'ai bien peur que nous devions attendre
jusqu'au printemps prochain.
- Je comprends Milady Coccinelle. Ne vous inquiétez pas,
je vais vous tricoter une couverture.

Marius a mis de l'ouate dans une boîte d'allumettes.
Ce sera le lit de Coccinelle. Il lui a tricoté une minuscule couverture.

- Faites de beaux rêves,
murmure-t-il tendrement.

Il fait très froid dehors. Marius veille sur Coccinelle.

- Oups, j'ai besoin de plus de bois.
Il ne faut pas que la pièce refroidisse.
Ça pourrait incommoder Coccinelle.

Marius va chercher du bois sec. Dans sa précipitation,
il oublie de mettre un manteau et une écharpe.

Au retour, Marius se sent mal.
Il a attrapé un gros rhume.

Et il a beaucoup de fièvre.

En allant se mettre au lit, Marius est si faible
qu'il s'effondre.

Le bruit terrible réveille Coccinelle.

- Marius, que s'est-il passé ?
Au secours ! Un docteur !

N'écoutant que son courage et son cœur,
Coccinelle vole au travers des gros flocons.

Jamais personne n'avait vu une coccinelle voler dans la neige !

Le docteur n'en croit pas ses yeux.
- Une coccinelle en hiver !
J'hallucine, dit-il.

Mais Coccinelle utilise
toute la force de sa voix
pour se faire entendre.
- Docteur, vite !
Marius, mon ami peintre,
s'est effondré. Il a une fièvre
énorme. On a besoin de vous !

-Vite, Rufus !
Une urgence !

- Merci mes amis,
murmure Marius.

- **Abracadabra.** Thé chaud au miel et citron,
médicaments et repos ! Ça va aller, Marius !
- J'ai eu la peur de ma vie, dit Coccinelle.
- Cette fois, c'est vous qui m'avez sauvé, Petite Dame.

Le temps passe…

… jusqu'au printemps
et l'éveil de la nature !
Youpiiiii !

Pour célébrer le soleil et leur amitié,
Coccinelle et Marius organisent une grande fête.

Marius expose ses peintures,
et Coccinelle chante de tout son cœur un air d'opéra italien.